LES ENFANTS ET LA SCIENCE
Couleurs

L'ORANGE

Kaite Goldsworthy

Weigl

Publié par Weigl Educational Publishers Limited
6325 10th Street SE
Calgary, Alberta T2H 2Z9
Site web : www.weigl.ca

Catalogage avant publication de Bibliothèque et Archives Canada

Goldsworthy, Kaite
[Orange. Français]
    L'orange / Kaite Goldsworthy.

(Les enfants et la science. Couleurs)
Traduction de : Orange.
Publié en formats imprimé(s) et électronique(s).
ISBN 978-1-4872-0094-7 (relié).--ISBN 978-1-4872-0095-4 (livre électronique multiutilisateur)

    1. Orange (Couleur)--Ouvrages pour la jeunesse. 2. Couleurs--Ouvrages pour la jeunesse. I. Titre. II. Titre : Orange. Français.

QC495.5.G6514 2014   j535.6   C2014-901767-7
                                                C2014-901768-5

Imprimé à North Mankato, Minnesota, aux États-Unis d'Amérique
1 2 3 4 5 6 7 8 9 0 18 17 16 15 14

052014
WEP010714

Coordonnateur de projet : Jared Siemens
Conceptrice : Mandy Christiansen
Traduction : Translation Cloud LLC

Weigl reconnaît que les images Getty et iStock sont les principales fournisseurs d'images pour ce titre.

Dans notre travail d'édition nous recevons le soutien financier du gouvernement du Canada par l'entremise du Fonds du livre du Canada.

LES ENFANTS ET LA SCIENCE

Couleurs

L'ORANGE

CONTENU

Quelle est cette couleur?
L'ai-je déjà vu?

Je vois de l'orange!
M'aideras-tu à en trouver plus?

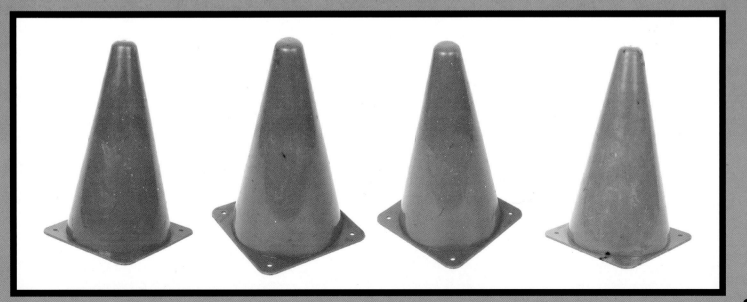

Je vois une chaise orange.

Je vois un mur orange.

6

**Y a-t-il de l'orange chez toi?
Est-ce grand? Petit?**

L'orange est la couleur
de certains aliments
que les gens mangent.

Quel aliment orange aimerais-tu pour une gâterie?

Les jouets orange peuvent être très amusants!

Quel jouet orange est ton préféré?

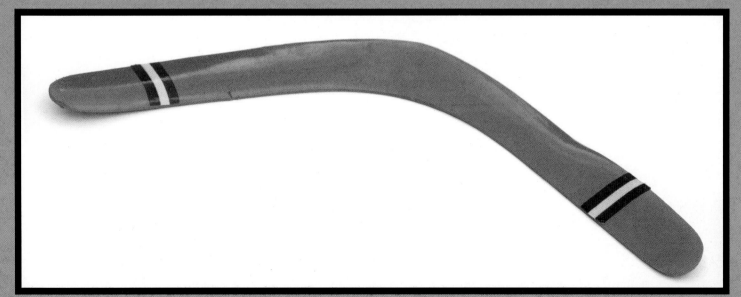

Je vois des
fleurs orange.

Je vois des
arbres orange.

Vois-tu des feuilles orange bouger dans le vent?

Je vois un
tigre orange.

Je vois un
oiseau aussi.

Trouver des animaux orange n'est pas une tâche difficile.

Les terrains de jeux sont des endroits amusants pour jouer.

Je vois des choses orange sur lesquelles je peux grimper toute la journée.

Je vois des crayons orange.

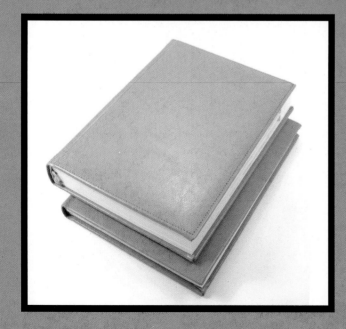

Je vois un livre orange.

Peux-tu voir de l'orange à l'école? M'aideras-tu à chercher?

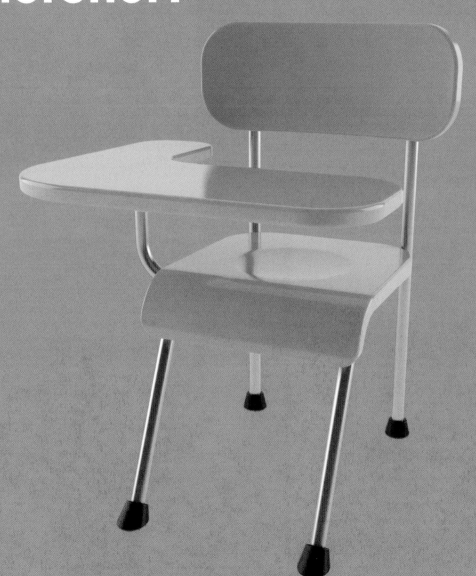

19

L'orange peut signifier la chaleur.

Elle peut aussi signifier la sécurité.

20

L'orange est pour l'Halloween. Que signifie l'orange pour toi?

Trouve la place de ces choses orange dans ce livre.

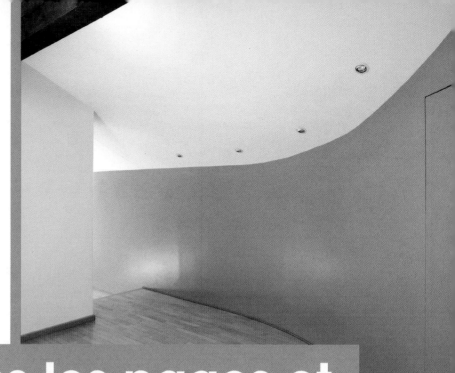

Retourne dans les pages et observe plus attentivement!